Kenai



Denahi

Sitka

Fluque

Tuque

Publié par Scholastic, Inc. Distribué au Canada par Grolier.



ISBN 0-7172-4126-2

Dépôt légal 4e trimestre 2003
Bibliothèque nationale du Québec

Imprimé aux États-Unis

Disney

# MON FRÈRE L'OURS

GROLIER

*Il y a fort longtemps, vivaient trois frères à qui on avait enseigné que les esprits de leurs ancêtres apparaissaient dans le ciel sous forme de lumières. Ces esprits avaient le pouvoir de transformer les choses — l'hiver en printemps, les garçons en hommes...*

Ce jour-là, les villageois sont rassemblés pour assister à une cérémonie spéciale. Tanana, la chaman, offre à Kenai, le plus jeune des frères, son totem — le symbole animal qu'il doit respecter pour devenir un homme.

« Ton totem est l'amour », annonce Tanana, en révélant la sculpture d'un ours. « Si tes actions sont guidées par l'amour, tu auras un jour ta place parmi tes ancêtres sur le mur des empreintes. »

« L'ours de l'amour? » fait Kenai, en fronçant les sourcils. « Voulez-vous faire un échange? » demande-t-il à ses frères.

Ses deux frères aînés refusent en riant. Ils ont déjà reçu leur totem. Sitka a reçu l'aigle conseiller et Denahi, le loup de la sagesse.

Une fois la cérémonie terminée, les trois frères vont chercher le poisson qu'ils ont pêché pour le festin du soir. «Les ours, ça n'aime personne», gémit Kenai. «Ils ne pensent pas, ils ne ressentent pas d'émotions, ce sont —»

Denahi découvre alors les restes déchiquetés du panier dans lequel ils avaient déposé le poisson. «Des voleurs!» s'écrie Kenai, en pointant vers des empreintes d'ours.

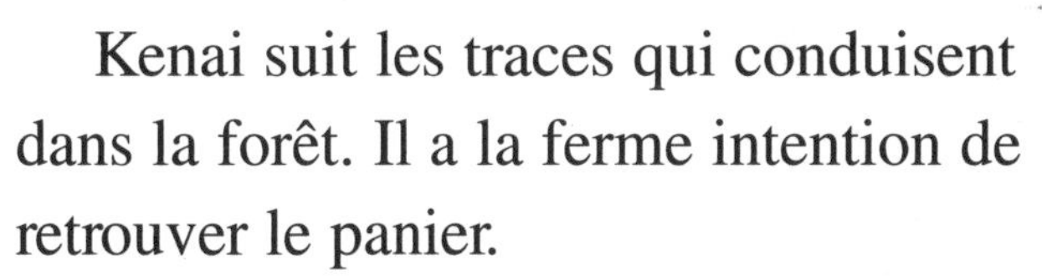

Kenai suit les traces qui conduisent dans la forêt. Il a la ferme intention de retrouver le panier.

Voyant que Kenai met du temps à revenir, Sitka et Denahi partent à sa recherche. Soudain, ils entendent les cris de Kenai. Leur jeune frère a glissé au bord d'une saillie en tentant d'échapper à un ours!

Denahi attire l'ours pendant que Sitka hisse Kenai hors de danger. Denahi glisse alors dans une profonde crevasse. Pendant que Kenai lui vient en aide, Sitka affronte l'ours!

Soudain, l'ours fait volte-face et fonce vers Kenai et Denahi. Pour sauver ses frères, Sitka brandit sa lance et l'enfonce dans une fissure dans la glace. La glace fend et la section sur laquelle se tiennent Sitka et l'ours tombe dans les eaux glaciales en contrebas.

Penchés au-dessus de la saillie, Kenai et Denahi voient l'ours émerger de l'eau... mais aucun signe de Sitka. Leur frère aîné est allé rejoindre les Grands Esprits sous la forme de son totem — l'aigle. Denahi ressent une profonde tristesse. Kenai, lui, ressent une grande colère!

Le lendemain, Kenai veut aller chasser l'ours qui a causé la mort de Sitka. Mais Denahi refuse de l'accompagner. Furieux, Kenai lance son totem d'ours dans le feu et quitte le village.

Tanana retire le totem du feu.

«Je ne peux pas le laisser partir comme ça», dit Denahi, en prenant le totem des mains de Tanana.

Kenai, qui a suivi la trace de l'ours, a retrouvé l'imposant animal. Une féroce bataille s'engage. Kenai tombe au sol et voit l'ours foncer droit vers lui. Il lève sa lance. Au moment de la collision, l'ours émet un puissant grognement, puis c'est le silence.

Soudain, des lumières descendent du ciel et tourbillonnent autour de Kenai. Un aigle géant se pose près de lui et prend la forme de Sitka. L'instant d'après, Kenai a l'impression de flotter dans les airs. La magie fait son œuvre et, sans qu'il ne s'en rende compte, Kenai prend la forme de la créature qu'il déteste le plus au monde — l'ours!

Les lumières disparaissent et il se met à pleuvoir.

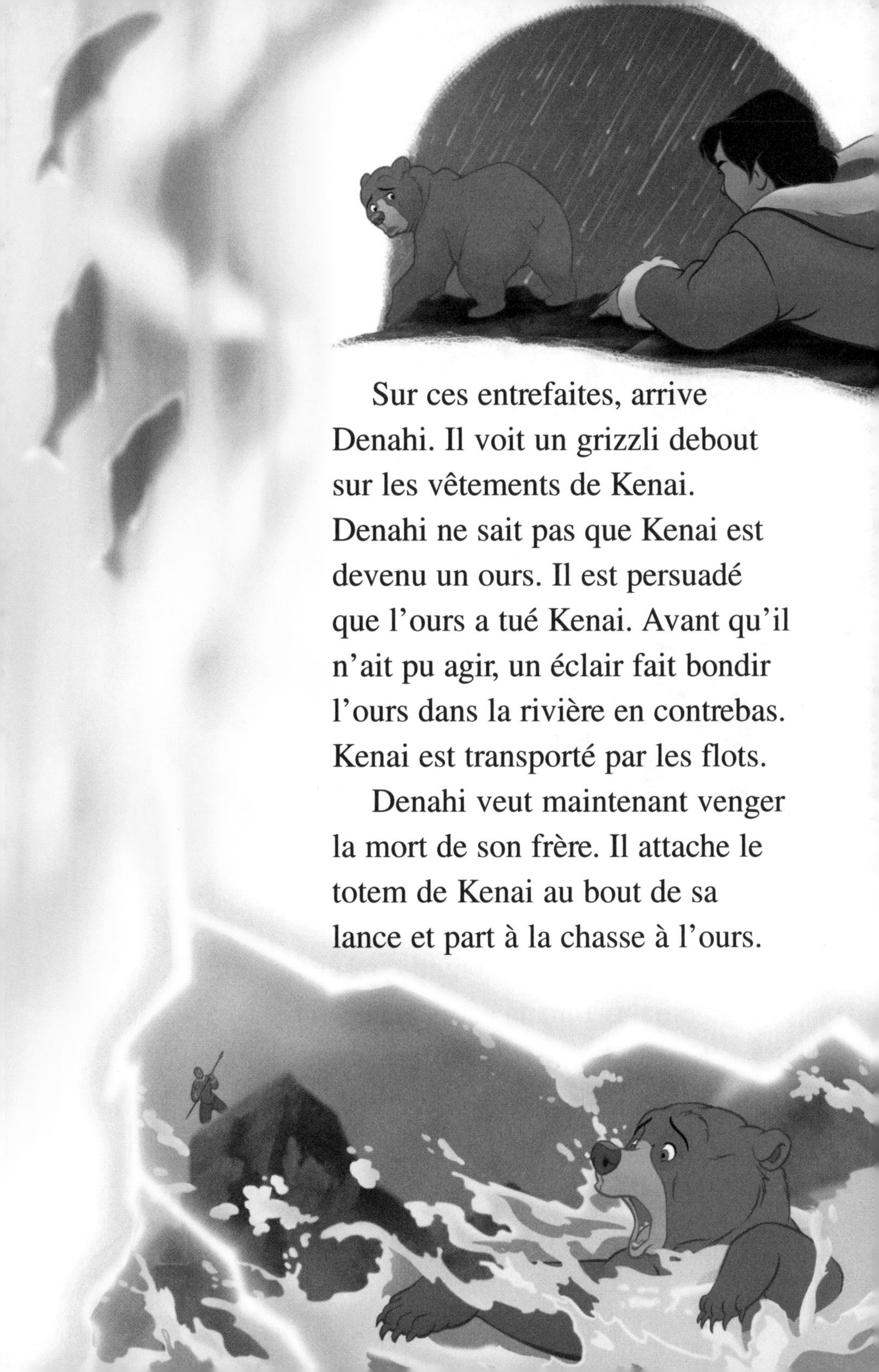

Sur ces entrefaites, arrive Denahi. Il voit un grizzli debout sur les vêtements de Kenai. Denahi ne sait pas que Kenai est devenu un ours. Il est persuadé que l'ours a tué Kenai. Avant qu'il n'ait pu agir, un éclair fait bondir l'ours dans la rivière en contrebas. Kenai est transporté par les flots.

Denahi veut maintenant venger la mort de son frère. Il attache le totem de Kenai au bout de sa lance et part à la chasse à l'ours.

Lorsque Kenai reprend conscience le lendemain, Tanana est penchée au-dessus de lui.

Kenai s'empresse de lui raconter tout ce qui lui est arrivé. Mais Tanana n'entend que des grognements.

« Kenai, pauvre petit, je ne comprends pas le langage des ours ! » dit la sage femme.

Ours? Kenai ne comprend pas. Il regarde son reflet dans la rivière. «Non!» crie-t-il avec désespoir. Il tourne la tête. Il est couvert de fourrure. «AAAAHHH!»

Pour attirer l'attention de Kenai, Tanana retire sa botte et lui frappe le crâne. «Écoute-moi! C'est Sitka qui a fait ça!» lui dit Tanana. «Parles-en avec l'esprit de ton frère! Si tu veux changer, rends-toi à la montagne, là où les lumières touchent la terre. Sitka t'aidera à te racheter de toutes tes mauvaises actions.»

Kenai est étonné. «Mais... je n'ai rien fait de mal», dit Kenai.

Mais Tanana a déjà disparu.

Kenai ne sait pas où aller, et il n'a personne à qui demander. Il entend alors deux écureuils jacasser. Mais quand il s'approche pour leur parler, les deux écureuils terrifiés s'enfuient.

Kenai voit ensuite une famille d'oies voler au-dessus de lui.

« Est-ce qu'on arrive bientôt ? » demande un oison à son père.

Kenai s'époumonne pour tenter de leur demander comment se rendre à l'endroit où les lumières touchent la terre, mais les oies poursuivent leur vol sans lui prêter attention.

Non loin de là, les frères Fluque et Tuque, deux orignaux, observent Kenai.

«Mais qu'est-ce qu'il a à s'énerver comme ça, celui-là?» dit Tuque.

«Une crotte d'oie est peut-être tombée sur lui», rigole Fluque.

Les orignaux ne rigolent cependant plus lorsqu'ils voient l'ours se diriger vers eux.

«Ça va, l’ours?» demande Tuque, la voix chevrotante.

«Je ne suis pas un ours. Je hais les ours», répond Kenai.

«Eh bien, tu es tout un castor dans ce cas!» dit Fluque.

«Je ne suis PAS un castor! Je suis un ours. Non, je veux dire, je ne suis pas un ours, je suis un homme!» s’écrie Kenai. «On m’a transformé en ours. Par magie!»

Les orignaux croient que Kenai est fou et ils décident de jouer le jeu.

«Tu sais, nous ne sommes pas des orignaux non plus. Nous sommes... des écureuils!» lance Tuque.

«Décidément, j’ai affaire à deux orignaux idiots!» se dit Kenai, en s’éloignant d’un pas lourd.

Un peu plus loin, Kenai se prend une patte dans un piège. Il s'agite en tous sens pour se libérer.

Un ourson du nom de Koda jaillit alors des buissons et offre son aide à Kenai. Mais Kenai refuse l'aide d'un ours... d'autant plus que celui-ci est des plus bavards.

Kenai poursuit ses efforts pour se libérer, mais en vain. Koda reste planté à ses côtés.

«N'es-tu pas attendu quelque part?» lance Kenai.

«Ouais, la Montée aux Saumons», répond Koda. «Que dirais-tu de ça? Je te libère et on y va ensemble?»

Kenai a fait tellement d'efforts pour se libérer qu'il n'a pas la force de refuser la proposition de Koda. Il l'accompagnera à la Montée aux Saumons si Koda le libère.

Aussitôt dit, aussitôt fait. Koda défait le piège et Kenai tombe lourdement au sol.

Koda lève ensuite le museau et renifle l'air. Un chasseur est dans les parages! «Cours, vite!» crie-t-il, en prenant la fuite.

Le chasseur est nul autre que Denahi!

Kenai l'appelle. «Denahi, c'est moi, Kenai!»

Mais Denahi n'entend que des grognements. Et il ne voit que l'ours qui a tué son frère. Il projette sa lance vers l'ours, mais rate la cible.

Constatant que c'est lui que Denahi chasse, Kenai s'enfuit.

Kenai trouve refuge dans la grotte de glace où Koda se cache. Kenai explique au jeune ourson qu'il ne pourra pas l'accompagner à la Montée aux Saumons.

Koda décide de tout raconter à Kenai : Koda et sa mère ont été séparés à cause d'un chasseur. Koda espère retrouver sa mère en se rendant à la Montée aux Saumons. Bien que touché par ce récit, Kenai refuse toujours d'aller avec Koda.

« Allez, viens. Chaque nuit nous admirons les lumières qui touchent la montagne », supplie Koda.

« Tu rigoles? » lance Kenai, sur un ton animé. C'est exactement l'endroit où il pourra reprendre sa forme humaine! Kenai accepte donc d'accompagner l'ourson.

Le lendemain matin, les deux ours se mettent en route.

Au début, le bavardage incessant et les jeux idiots de Koda ennuient Kenai au plus haut point. Mais au bout d'un moment, Kenai décide de jouer le jeu et il se surprend à y prendre plaisir.

En route, les deux ours rencontrent Fluque et Tuque. «Il y a un chasseur à nos trousses», les informe Fluque. Il espère que les deux ours les protégeront.

Kenai sait que le chasseur est Denahi. Il élabore aussitôt un plan pour empêcher Denahi de suivre leurs pistes. Le groupe repère un troupeau de mammouths et poursuit son chemin en prenant place sur le dos de ces gros animaux.

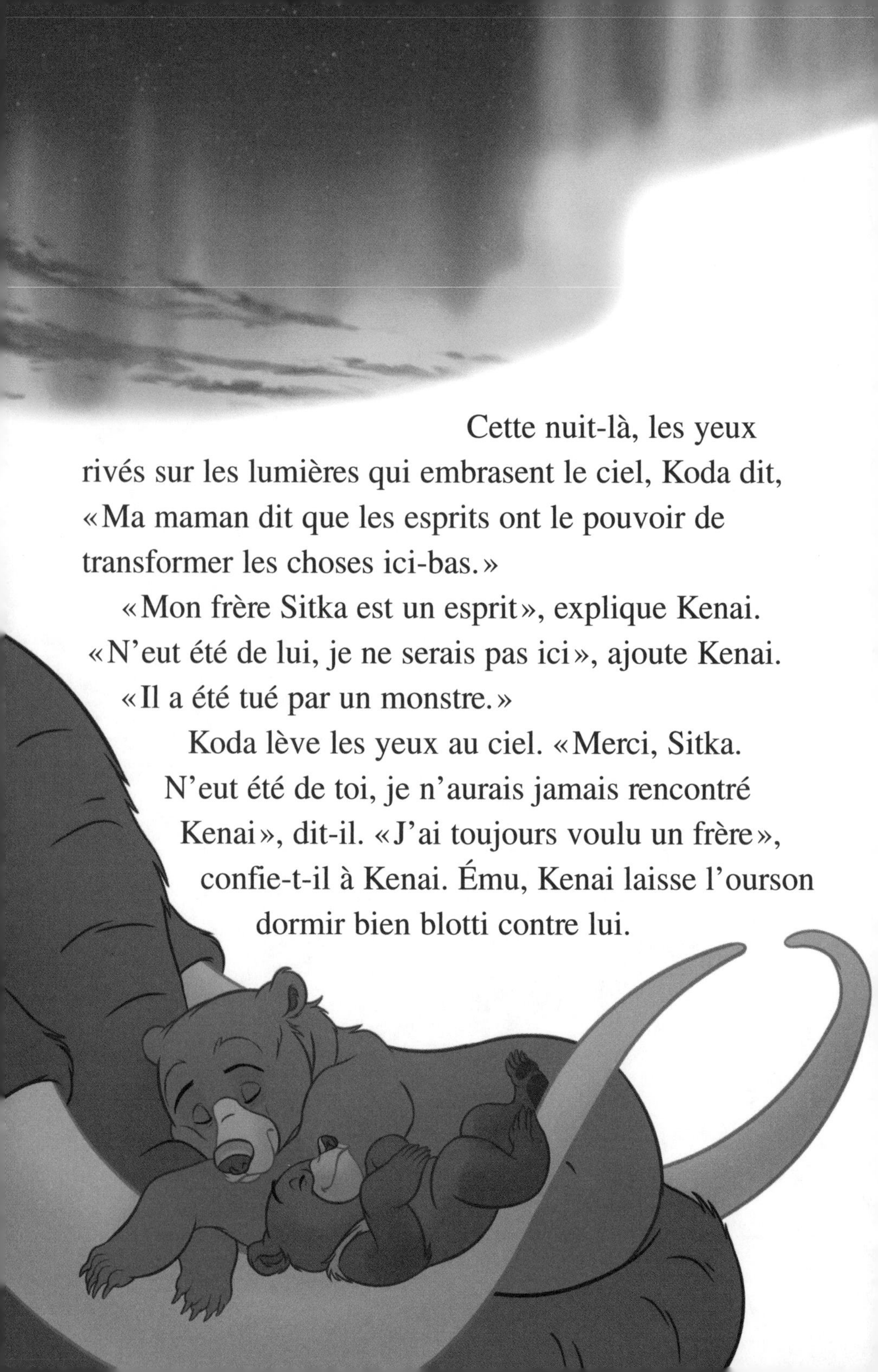

Cette nuit-là, les yeux rivés sur les lumières qui embrasent le ciel, Koda dit, «Ma maman dit que les esprits ont le pouvoir de transformer les choses ici-bas.»

«Mon frère Sitka est un esprit», explique Kenai. «N'eut été de lui, je ne serais pas ici», ajoute Kenai. «Il a été tué par un monstre.»

Koda lève les yeux au ciel. «Merci, Sitka. N'eut été de toi, je n'aurais jamais rencontré Kenai», dit-il. «J'ai toujours voulu un frère», confie-t-il à Kenai. Ému, Kenai laisse l'ourson dormir bien blotti contre lui.

Le lendemain, les deux ours poursuivent leur chemin. Ils pénètrent dans une caverne aux parois couvertes de peintures rupestres. Une des peintures illustre un chasseur muni d'une lance qui affronte un ours féroce. « Ces monstres sont terrifiants — surtout ceux avec les bâtons pointus », dit Koda.

Kenai est estomaqué. Aux yeux de Koda, les humains sont des monstres. Kenai a toujours pensé que les monstres, ce sont les ours. Mais en ce moment, il n'en est plus vraiment certain.

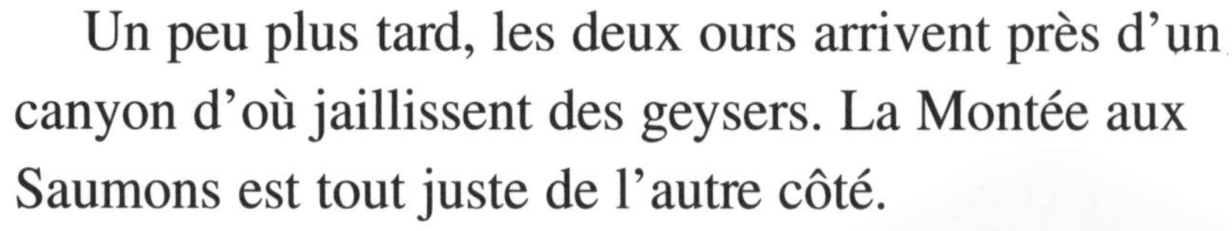

Un peu plus tard, les deux ours arrivent près d'un canyon d'où jaillissent des geysers. La Montée aux Saumons est tout juste de l'autre côté. Le jeune ourson a retrouvé son entrain. Mais ses jeux sont interrompus abruptement.

*ZOUM!* Une lance projetée avec force rate Kenai de quelques centimètres à peine! Denahi les a retracés!

Kenai attrape Koda et court vers une bille de bois qui enjambe un ravin. À mi-chemin, Kenai voit Denahi en train de couper la bille. Kenai a tout juste le temps de projeter Koda en lieu sûr et d'atteindre l'autre côté avant que le pont ne s'écroule.

Denahi rugit de rage en voyant les ours lui échapper. Les larmes aux yeux, Kenai jette un coup d'œil vers son frère qui ne le reconnaît pas.

Peu de temps après, Kenai et Koda
parviennent à la Montée aux Saumons.
Au début, Kenai est un peu terrifié
d'être entouré d'ours énormes.
Mais ils sont tous très gentils et
ils accueillent Kenai comme
un membre de la famille.

Un peu plus tard, Kenai apprend même à pêcher comme les autres ours.

Bien que Koda soit déçu d'apprendre que sa mère n'est pas encore arrivée, il est heureux d'être de retour parmi ses amis les ours.

Kenai et Koda s'amusent bientôt comme des petits fous.

Plus tard ce jour-là, les ours se rassemblent pour raconter ce qu'ils ont fait au cours de la dernière année. Kenai explique qu'il a entrepris le voyage le plus ardu de sa vie en compagnie de la pire petite peste que vous puissiez connaître. «Les petits frères ne sont-ils pas tous des petites pestes?» ajoute Kenai, en regardant Koda.

Koda prend ensuite la parole et raconte l'histoire de sa mère qui l'a protégé contre des chasseurs. Sa mère et un des chasseurs ont sombré dans les eaux glacées lorsque le chasseur a brisé la glace.

Kenai n'en croit pas ses oreilles. Koda vient de faire le récit du jour où son frère Sitka a été tué par un ours. Mais il comprend maintenant que c'est aussi l'histoire d'une maman ours qui protégeait son petit.

« Maman a réussi à se sortir de l'eau, poursuit Koda, mais je l'ai perdue de vue. J'ai rencontré Kenai peu de temps après. »

Kenai comprend alors que l'ours qu'il a tué était la maman de Koda! Kenai est bouleversé.

Kenai s'enfuit, mais Koda le retrouve le lendemain. Kenai se résigne à lui dire la vérité. « Koda, j'ai une histoire à te raconter », dit Kenai. « Une histoire de monstre. » Kenai lui explique qu'il a fait quelque chose de très mal. « Ta maman ne reviendra pas », conclut-il, d'une voix emplie de tristesse.

Complètement atterré par cette nouvelle, Koda prend la fuite.

Kenai le laisse partir. Comment pourrait-il arranger les choses? Il se met à escalader la montagne où les lumières touchent la terre.

Arrivé au sommet, Kenai appelle Sitka. Une étrange silhouette avance aussitôt vers lui. C'est Denahi! Mais ce que Denahi voit, lui, ce n'est pas son frère Kenai, mais plutôt l'ours qu'il s'est juré de tuer pour venger son frère. Denahi court vers Kenai en brandissant sa lance.

Koda, qui n'a pu s'empêcher de suivre Kenai, surgit alors et se porte à la défense de Kenai. Il renverse Denahi et lui ravit sa lance avant de s'enfuir. Furieux, Denahi se lance à la poursuite de Koda.

«Laisse-le tranquille!» grogne Kenai, sans hésiter à risquer sa propre vie pour protéger Koda.

Soudain, un éblouissant éclair illumine le ciel.

Un aigle géant apparaît et soulève Kenai du sol.

Dans un grand tourbillon de lumières magiques, Kenai redevient un homme. Troublé, Denahi le regarde bouche bée. L'ours qu'il tentait de tuer est son frère!

L'esprit de Sitka avait transformé Kenai en ours pour l'aider à acquérir le don de l'amour. Sous sa forme d'ours, Kenai venait de démontrer un amour profond pour Koda. Il était prêt à risquer sa vie pour le protéger.

Encore sous le choc, Kenai examine son corps pendant que Sitka reprend la forme d'un esprit humain.

Lorsqu'il lève les yeux, Kenai aperçoit Koda caché derrière un rocher. L'ourson est terrifié.

« Koda, n'aie pas peur », lui dit Kenai. « C'est moi. »

Denahi met le totem d'ours autour du cou de Kenai. Kenai regarde son totem, puis le petit Koda. L'ourson a besoin de quelqu'un pour le protéger, se dit Kenai. « Il a besoin de moi », explique Kenai à ses frères. Il est prêt à redevenir un ours.

« D'accord », dit Denahi. « Quelle que soit ta décision, tu seras toujours mon petit frère. »

Les deux frères se serrent dans leurs bras. Puis, dans un grand tourbillon de lumière, Kenai redevient un ours grâce à la magie de Sitka.

Denahi lève les yeux vers son frère, qui est maintenant un ours énorme. «Est-ce que j'avais dit “petit”?»

Kenai, Denahi et Koda regardent ensuite Sitka reprendre la forme d'un aigle et s'envoler pour rejoindre les Grands Esprits.

Une autre cérémonie se tient au village ce soir-là. Le moment est venu pour Kenai de laisser sa marque sur le mur spécial, preuve qu'il a su respecter son totem et qu'il est devenu un adulte.

Sous le regard attentif de Koda et des villageois, Denahi aide Kenai à placer l'empreinte de sa patte parmi les empreintes de main de leurs ancêtres.

Cette empreinte spéciale rappellera aux générations futures cette merveilleuse histoire d'amour et de fraternité.